TEXTO DE EMMANUEL TRÉDEZ
ILUSTRACIONES DE HALFBOB

¿Cómo funcionan las redes sociales?

¡Y todas las preguntas que te planteas
cuando te conectas!

Título original: *Les réseaux sociaux, comment ça marche?*

Textos: Emmanuel Trédez
Ilustraciones: Halfbob

© de la traducción: Raquel Solà

© 2016 Fleurus éditions
© de la edición española: Grupo Edebé, Paseo de San Juan Bosco, 62.
08017 Barcelona. España
Directora de publicaciones generales: Reina Duarte
Editora: Marta Sans

Impreso en Eslovaquia. *Printed in Slovakia*
ISBN: 978-84-683-3171-3 Depósito legal: B. 20316-2016

Prólogo

Queramos o no, las redes sociales digitales han cambiado la forma de comunicarnos con los demás. Nos ofrecen la posibilidad de relacionarnos regularmente con nuestros amigos, reencontrar a personas que hace tiempo que no vemos o hacer nuevos contactos. Nos permiten compartir fácilmente, con algunos o con todos los miembros de nuestra red, textos, fotos, vídeos, enlaces de Internet...

En la mayoría de las redes, no solo en Facebook, se autoriza la apertura de una cuenta a partir de los 13 años. Y, sin embargo, no es extraño ver a niños bastante más jóvenes utilizando redes móviles como Snapchat o Instagram, escapando en gran medida al control parental. Ahora bien, aunque las redes les ofrecen un formidable terreno de juego, estos juegos no siempre resultan tan inocentes.

El objetivo de este libro es responder a las pequeñas o grandes preguntas que los niños se plantean sobre las redes sociales, tanto si ya se conectan a ellas como si no. Se trata de que descubran, a la vez, las posibilidades de las redes sociales y las buenas prácticas que tienen que adoptar para utilizarlas sin riesgo.

Emmanuel Trédez

¿Qué es una **red social** en la vida real?

Sencillamente, es un grupo de personas que están relacionadas entre sí. Tal vez no eres consciente de ello, pero formas parte de distintas redes sociales: por supuesto, están tu familia, tus compañeros de escuela o de instituto...; pero también los compañeros que encuentras durante las vacaciones, los del conservatorio o los del club de judo... Estas distintas redes, *a priori,* no tienen ningún vínculo entre ellas, lo que no te impide hacer judo, por ejemplo, con un compañero de instituto.

¡Así pues, Internet no ha creado las redes sociales!

Y, desde luego, las redes digitales como Facebook o Twitter no reemplazarán las redes de la vida real.

Hipótesis del mundo pequeño

Investigadores han demostrado que cada uno de nosotros estaría conectado con cualquier persona del planeta a través de una cadena de contactos de cinco personas como máximo. ¿Qué significa esto? Que cualquiera entre los amigos de los amigos de los amigos de tus amigos es amigo, por ejemplo, ¡de Justin Bieber o de Rihanna!

¿LO SABÍAS?

¿Y en Internet es distinto?

Os lo advierto: ¡si me obligáis a comer esto, os borro de mi Facebook!

En principio, las redes digitales tienen de particular que suelen mezclar las relaciones de las distintas redes de la vida real. Así, entre tus amigos de Facebook, es posible que tengas algunos compañeros de clase, alumnos de tu curso de dibujo, primos...

Las redes sociales digitales suelen ser más extensas. Los amigos de tus amigos enseguida se convierten en tus amigos: es muy fácil relacionarte con otras personas que tienen los mismos intereses o los mismos gustos que tú. Basta con que les envíes una invitación para que se unan a tu grupo de amigos, o que aceptes su invitación.

¿Es necesario que seas amigo de tus padres en Facebook?

Si tienes menos de 13 años, no puedes tener una cuenta de Facebook. Entonces, te interesa dar tus primeros pasos por las redes sociales con tus padres, bien aceptándolos como amigos, bien parametrizando tu cuenta con ellos y mostrándoles un poco lo que haces. ¡Nada te impedirá después seleccionar, gracias a la lista de amistades, lo que podrán ver de tu cuenta!

¿Para qué sirven,
en realidad, las redes sociales?

» **Depende mucho de las redes.**
Cada una tiene sus características específicas pero, en general, las redes sociales cumplen cinco funciones principales. Te permiten:

1 - Presentarte. Es lo que tú haces cuando creas un perfil. Algunas informaciones son obligatorias, como tu nombre de usuario, que puede ser un seudónimo según los sitios web, y tu dirección de correo electrónico, indispensable para conectarte a la red (pero puede y debe permanecer oculta). Otros datos son opcionales, como la foto, la ciudad donde vives, la lista de tus preferencias o actividades...

Todos estamos en varias redes sociales.

2 - Compartir contenidos: artículos, enlaces de Internet, fotos, vídeos... Puedes ser activo en las redes sociales y publicar contenidos, o contentarte con mirar lo que publican los demás.

3 - Comentar los contenidos: con un sencillo «like» ('me gusta') o un mensaje. Una vez más, eres libre de participar o no.

4 - Buscar contactos y comunícate con ellos. ¡No hay red social que no implique relacionarse! Tú decides si te apetece reencontrar a los amigos que habías perdido de vista, seguir en contacto con la familia o con tus compañeros de instituto... Algunos contenidos son públicos, otros no: para acceder a estos, es preciso formar parte de la red social y enviar una solicitud para entrar en contacto.

5 - Estar al corriente de las publicaciones de tu red. En general, recibes notificaciones.

Blanquita ha añadido una foto.
De camino a un paseo solitario por la montaña :)

Al Lobo le gusta.

¿Cuáles son las principales redes sociales?

Ahora que ya has fotografiado tu plato, ¿podemos comer, no?

Espera, que tengo que colgarla en Facebook, Twitter, Instagram, Google+, Flickr y Snapchat

¡Todo depende de lo que denominemos una red social!

Pues sí, no todo el mundo coincide en lo que debe englobarse bajo este concepto. Así, por ejemplo, para algunos, YouTube, WhatsApp y Skype son redes sociales; pero no lo son para otros. Además, las clasificaciones cambian de un año para otro con la aparición de nuevas redes, como Ask en 2011, Vine en 2012, QuizUp en 2015... Cada vez con nuevas promesas. Por su parte, las redes sociales más antiguas se actualizan constantemente: integran funcionalidades que han significado el éxito de otras redes. Por ejemplo, Instagram, dedicado a las fotos, hoy en día permite compartir vídeos.

¿Los jóvenes desertan de Facebook?

Con más de 1.500 millones de usuarios activos en el mundo, Facebook es, con mucha ventaja, la primera red social. Pero se prevé que será cada vez menos frecuentada por los «jóvenes», puesto que sus padres y sus abuelos también están en ella: ¡no quieren ser espiados!

¿LO SABÍAS?

- Las redes generalistas, como Facebook, Google+ y MySpace.
- Las redes profesionales, como LinkedIn y Viadeo.

¿Tal vez tus padres las utilizan?

Ante todo, lo que cuenta en estos sitios es **relacionarse**.

- Los sitios especializados en la publicación de blogs (Tumblr, Skyblog) o la micropublicación (Twitter, Pheed); en la compartición de fotos (Instagram, Pinterest, Snapchat, Flickr), de vídeos (YouTube, Dailymotion, Vine), de música (Deezer, Spotify)...

Lo que prima en estos sitios es el **contenido**.

- Las herramientas para comunicarse (Messenger, Skype, WhatsApp).

¿Pero y si consideramos también redes sociales a los sitios colaborativos como TripAdvisor (comunidad de viajeros)? Al fin y al cabo, se crea un perfil, se publican críticas, se dan puntuaciones...

 Kevin ha añadido una foto.
¡Eh! ¡Listo para un descenso brutal!

 Mamá ¡Cuidado, cariño, es peligroso!
¿Te has abrochado bien el casco?

INFO +

El top 5 mundial en 2016:
1. Facebook
2. YouTube
3. Instagram
4. Tumblr
5. Google+

¡Socorro!
¡No estoy conectado!

Las redes sociales digitales son un medio estupendo para relacionarte con tus amigos, no importa dónde ni cuándo. A condición, lógicamente, de estar conectado: ¡no hay red social sin red de Internet! El éxito considerable de las redes sociales se ha visto favorecido por el despliegue del WiFi y del 3G o el 4G –ya no es necesario estar en casa para conectarse–; pero también por la explosión del mercado de los teléfonos móviles y las tabletas. Todas las grandes redes sociales son accesibles a través de nuestros «smartphones». Entre los más recientes, algunos en principio fueron pensados para ser móviles, centrándose en la foto (Instagram, Snapchat) o los formatos ultracortos (Vine), que permiten ocupar tiempos muertos: ¿hay algo más fácil que mirar fotos en los transportes públicos o hacerse un selfi en el escaparate de una bonita tienda?

¿Tengo una buena e-reputación?

Tu reputación digital, o e-reputación, es la imagen que los internautas se hacen de ti a partir de las informaciones que encuentran en Internet. Por supuesto, está vinculada a tu identidad digital (la forma que has elegido de presentarte a través de tus distintos perfiles), pero también a todo lo que haces: la música que escuchas en Spotify, los vídeos que cuelgas o los «me gusta» en YouTube, las personas que sigues en Instagram...

Todo esto es lo que tú puedes controlar. Pero está también todo lo que no controlas: lo que tus amigos, tus compañeros de clase y tus relaciones publican sobre ti, ya sea a través de un «post» o de una foto en la que te hayan «etiquetado», ya sea de un comentario que hayas compartido con otras personas. A partir de todos estos elementos se formarán una imagen de ti, más o menos coherente con la que tú quieres proyectar. Y esta puede ser tanto buena como mala.

¡El Lobo se ha comido a Caperucita Roja!

¡El Lobo se ha comido a las 7 cabritas!

¡El Lobo se ha comido la cabra del sr. Pérez!

¡El Lobo se ha comido a los 3 cerditos!

¡Vamos, venga! ¡Esta e-reputación es injusta!

¿Ya te has "googlizado"?
Para conocer tu e-reputación, no dudes en «googlizarte» de vez en cuando, es decir, en efectuar una búsqueda con tu nombre en Google para ver qué encuentra el motor de búsqueda y poder actuar al respecto.

¿LO SABÍAS?

¿Las redes sociales
son gratuitas?

>> **Sí y no.**

Si por «gratuitas» entendemos que no tenemos que desembolsar nada por inscribirnos, entonces podemos decir que las redes sociales son gratuitas, siempre y cuando sea para un uso normal. Sin embargo, para beneficiarnos de algunos servicios, generalmente conocidos como «premium», hay que pagar una cuota. Como en Spotify para escuchar álbumes de forma «ilimitada», o en YouTube para ver vídeos sin conexión a Internet y sin publicidad.

Si las redes sociales son gratuitas, es porque están financiadas por la publicidad. Cuanto más importante sea la red, más atraerá a los anunciantes (las empresas que quieren promocionar sus marcas). Así por ejemplo, la publicidad en Facebook resulta bastante menos cara que en la televisión, sobre todo porque está mucho más dirigida a consumidores concretos: gracias a los datos personales que compran a las redes sociales, los anunciantes podrán comunicarse más eficazmente con los consumidores que les interesan verdaderamente.

> La gratuidad es la consigna de Facebook, que anuncia en su formulario de inscripción: « Es gratuito y lo será siempre ». ¡Pero la gratuidad tiene un precio!

¿De qué datos estamos hablando? Todos los proporcionados a Facebook cuando creas tu perfil e indicas tu edad, tus intereses, tus gustos musicales, o cuando haces clic en «me gusta» en determinadas publicaciones. Lo que, en principio, parecerá gratuito no lo es tanto, pues el precio que hay que pagar por acceder a las redes sociales es aceptar que vendan tus datos personales a los anunciantes: ¡unos datos que valen oro!

¿Por qué es preciso tener, por lo menos, 13 años para **registrarte** en algunas redes sociales?

Exceptuando las redes sociales reservadas a los adultos, como las redes profesionales, un buen número de ellas son accesibles a partir de 13 años. ¿Por qué esta edad? Porque estos sitios son americanos, y una ley de los Estados Unidos prohíbe el uso con fines comerciales de los datos relativos a los menores de 13 años. Esto se aplica a Facebook, y también a todas las redes sociales estadounidenses: Google+, Twitter, Instagram, Pinterest ¡e incluso Snapchat! Aunque de ello se hable mucho menos.

Destaca el caso de Facebook, la red social más popular y tal vez una de las pocas que piden la fecha de nacimiento del usuario y que rechazan la apertura de una cuenta si no se tiene la edad requerida. Claro está que ello no impide que algunos de vosotros creéis una cuenta mintiendo sobre vuestra edad, ¡pero al menos queda publicada!

Independientemente de esta ley, podemos considerar que por debajo de cierta edad –en este caso, los 13 años- un niño no tiene la **madurez** suficiente y, salvo excepción, no conoce las **buenas prácticas** para utilizar sin riesgos las redes sociales.

¿Hacemos un breve test?

¿Sabías que todo el mundo puede leer tus publicaciones si no modificas los parámetros de confidencialidad? ¿Y que es muy difícil borrar completamente los datos en Internet? ¿Y que para publicar una foto de tus amigos, primero debes pedirles permiso?

Y esto no es todo. Te arriesgas a ver contenidos que no son adecuados para tu edad, como fotos y vídeos violentos o de carácter pornográfico. Incluso puedes llegar a conocer a indeseables en las redes sociales y especialmente ser presa de ciberpiratas.

De modo que si no tienes 13 años, espera un poco antes de adentrarte en las redes sociales... O al menos, si lo haces, que sea con la ayuda y el consentimiento de tus padres.

¿Qué me puede pasar en las redes sociales?

>> Si bien las redes sociales ofrecen nuevas posibilidades de intercambio, también entrañan riesgos sobre todo para los más jóvenes.

Cuidado...

– **Con la usurpación de identidad** (el hecho de hacerse pasar por ti), que puede tomar varias formas:

- La **creación de un perfil falso** utilizando elementos de tu vida privada, accesibles en tu verdadero perfil.
- El **pirateo** de tu verdadera cuenta mediante «phising» : recibes un mensaje de una supuesta fuente oficial pidiéndote que les proporciones, por ejemplo, tu identificador y tu contraseña para seguir manteniendo tu cuenta.

Los ciberpiratas se adueñan de tus datos para utilizar tu red e intentar, mediante estafas, conseguir dinero o difundir vínculos con sitios web que contienen virus...

– Con los pedófilos.

Las redes sociales son su nuevo terreno de caza. El riesgo de tropezar en Internet con individuos sospechosos es el mismo que en la vida real, pero el hecho de hallarte tras una pantalla de ordenador te hace creerte a salvo. Sin embargo, cuando aceptas a un desconocido como amigo y hablas con él en una red social, no sabes si se corresponde con el perfil publicado. Un pedófilo puede hacerse pasar perfectamente por una adolescente de 12 años y manipular a un muchacho de la misma edad para que se desnude delante de su cámara web o acepte una cita.

– Con el ciberacoso.

Acosar a alguien es ensañarse en humillarlo ridiculizándolo, injuriándolo, amenazándolo. El acoso existe en la vida real, pero también en las redes sociales. El ciberacoso, en este caso, tiene de particular que no se produce solamente ante unos pocos alumnos, sino en el marco de una red social. Tras su pantalla, el acosador se siente seguro: no se encuentra frente a ti ni se expone a tu cólera o a tu sufrimiento, que en la vida real podrían hacerle cambiar de actitud. El ciberacoso puede derivar en tragedias. ¡En cualquier caso, si tienes dudas sobre cómo actuar, habla con tus padres!

17

¿Cómo puedo limitar los riesgos en las redes sociales?

» **Se recomiendan algunas sencillas reglas,** válidas tanto para los adolescentes como para los adultos.

Sobre la confidencialidad

– Da el mínimo de información personal. Sobre todo, no facilites ni número de teléfono ni correo electrónico.
– Elige una buena contraseña (difícil de descubrir, pero que no sea demasiado complicada de recordar) y no se la digas a nadie. **¡A nadie!**
– Configura tus parámetros de confidencialidad en Facebook seleccionando **«Amigos»** y nunca **«Público»**. Haz lo mismo en las otras redes.
– No olvides desconectarte cuando hayas terminado tu sesión.
– Ten cuidado al aceptar solicitudes de amistad. En la medida en que sea posible, limítate a aceptar a conocidos. ¡No te lances a una carrera por ver quién tiene más amigos!

Sobre la publicación

Eres libre de publicar lo que tú quieras mientras respetes:

– La ley de libertad de expresión (no puedes publicar injurias o ideas racistas, por ejemplo).

– El derecho de autor (para publicar textos, fotos o vídeos que no te pertenezcan, debes obtener la autorización de los autores y, si se da el caso, pagar los derechos de autor).

– El derecho a la imagen (antes de publicar la foto o el vídeo de otra persona, debes asegurarte de su consentimiento).

En general, no publiques lo que no quieras que tus padres o profesores vean. Nada se borra del todo en Internet.

Configurar tu cuenta en Facebook

Hay dos buenas razones para hacerlo: la primera es limitar el número de personas que tienen acceso a tus publicaciones. Pero la segunda es también muy importante: si tu perfil está configurado como «Público», Facebook se convierte en propietario de todos los contenidos que hayas publicado. ¡Entonces nada evitaría que utilizasen tus fotografías de vacaciones con fines publicitarios! Según la ley, solo las publicaciones reservadas a «solamente amigos» se consideran privadas.

¿LO SABÍAS?

¿Para mi perfil,
uso un seudónimo o creo un avatar?

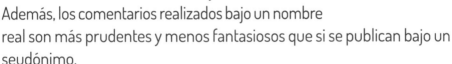

¡Ello depende de las redes sociales! Por ejemplo, Facebook se basa en la identidad real de cada usuario. ¿Por qué? Sencillamente porque, en principio, el objetivo sería encontrar antiguos amigos que has perdido de vista o hablar con amigos y compañeros de la vida real. ¡Y esto resulta más difícil si te ocultas bajo un seudónimo! Además, los comentarios realizados bajo un nombre real son más prudentes y menos fantasiosos que si se publican bajo un seudónimo.

En las redes sociales donde el seudónimo es la regla, los usuarios no dudan en «relajarse»: declaran cosas que no dirían si apareciesen bajo su nombre verdadero.

¿Y sobre la foto de perfil?
Algunos recomiendan a los adolescentes que creen un avatar en lugar de publicar una foto de verdad. Ello evita que la foto «circule» por Internet. ¿Por qué no? Además, es más divertido.

Como contraseña, ¿elijo el nombre de mi gato?

¡Ah, no! ¡Es mejor evitarlo!

Lo mismo vale para cualquier cosa que tenga relación contigo: tu fecha de nacimiento, el nombre de tu instituto, etc. Si uno de tus compañeros tiene la tentación de leer tus mensajes en Facebook ,tal vez pueda descubrir tu contraseña. Preferiblemente lo más aconsejable es una combinación de letras (mayúsculas y minúsculas) y de cifras. Por lo menos, ocho signos. No dudes en añadir caracteres especiales, como un punto, un guion o un paréntesis. El problema es que deberás memorizarla. Y aún será más difícil, porque deberás recordar varias contraseñas: ¡sí, es desaconsejable utilizar la misma en las distintas redes sociales!

Una última cosa, evita que las memorice tu navegador (Chrome, Firefox, Safari), pues si alguien utiliza tu ordenador o tu portátil, ¡entonces ya no será necesario saber tu contraseña para acceder a tu cuenta!

¡Ah, yo siempre utilizo el nombre de mi gato como contraseña y nunca he tenido problemas!

¿Verdad, mi pequeño XL8MVZP4?

¿Frases de contraseña?

Algunos recomiendan usarlas en lugar de palabras sueltas: son más largas y así más difíciles de descubrir, y resultan más fáciles de recordar que una sola palabra con caracteres especiales. Pero si utilizas el título de un libro, cambia el orden de las palabras y no dudes, una vez más, en añadir algún carácter especial.

¿LO SABÍAS?

¿Puedo publicar
todo lo que yo quiera en las redes sociales?

¡Por supuesto que no!

En primer lugar, porque hay leyes que regulan la libertad de expresión: ¡no se puede decir todo! La ley te castigaría (o, en todo caso, a tus padres, que son responsables de ti al ser menor de edad) si publicases en tu muro de Facebook o en el de otra persona mensajes ofensivos (decir de tal profesor que es un desastre o de cierta compañera que es fea) o difamatorios (insinuar que tal compañero ha copiado en un examen). También se te castigaría si tus mensajes incitasen a la violencia, al racismo o a la homofobia. Tampoco puedes publicar textos, imágenes o vídeos de los que no eres autor, a menos que hayas obtenido los derechos.

Además de esta cuestión legal, deberías preguntarte en qué medida lo que tienes intención de publicar puede perjudicarte también a ti, ya sea ahora o dentro de algunos años. El motivo es que en Internet nada se borra del todo. Antes de publicar un «post», pregúntate: ¿quieres que tus padres te vean en una foto haciendo una peineta, o que tu profesor lea lo que escribes sobre él?

Para limitar los riesgos, empieza por configurar tu cuenta: decide quién podrá leer tus publicaciones. En algunas redes sociales también puedes crear listas de amigos y elegir, para cada publicación, cuáles de esos amigos podrían acceder a ella.

En todo caso, es aconsejable ser prudente. A pesar de haber configurado tu cuenta, ¿quién sabe si los amigos de hoy, el novio o la novia de hoy, dejarán de serlo en unos años y, tras una disputa, puedan utilizar tus publicaciones para vengarse de ti?

¡Por lo tanto, un buen consejo es reflexionar antes de clicar! «

¿Tengo que creer todo lo que me dicen en las redes sociales?

¡No, no, y tres veces no!

En principio, en las redes sociales, incluso si uno se presenta con su verdadera identidad, tiende a mostrarse de una forma más favorecedora de la que es en realidad: elegimos nuestra foto con cuidado, solo consideramos a aquel que nos elogia y, si nos burlamos de nosotros mismos, es sobre todo para hacer reír... Todos queremos que se nos aprecie. Para tener más «me gusta», estamos dispuestos a inventarnos una vida más hermosa de lo que es en realidad. Y esto afecta particularmente a los adolescentes. Respecto a las discusiones sobre temas importantes, suelen ser opiniones o estados de ánimo que solo comprometen a sus autores. ¡Se puede hablar de cualquier tema sin ser verdaderamente un especialista y así, pues, decir grandes tonterías!

Lo más grave es que a las redes sociales les encantan los rumores. Chismes sobre compañeros de instituto o profesores, por ejemplo. Estos se propagan con mucha velocidad y pueden causar terribles daños. Sin embargo, no suelen estar fundados o solo se corresponden con una parte de la verdad. Antes de comentar o de compartir estas informaciones, reflexiona bien.

En general, las redes sociales se deleitan con todo lo sensacionalista, con escándalos: informaciones tan increíbles o indignantes que apetece compartirlas de buena fe, sin pararse a pensar en verificar las fuentes. Pero suelen ser falsas informaciones totalmente inventadas, bulos («hoax», en inglés): falsas alertas de virus, falsas promesas, falsas informaciones presentadas de una forma que incita a que las creamos; fotos completamente trucadas, presuntos artículos científicos... Estos bulos pululan por las redes sociales. Antes de confiar en este tipo de noticias, consulta el sitio hoaxbuster.com. ¡Sabrás a qué atenerte!

Selfi de un superviviente del *Titanic* (1912).

¿Puedo publicar
cualquier foto?

>> **¡Pues no!**

Ni las fotos tomadas por otra persona, ya que están protegidas por los derechos de autor. Para utilizarlas, debes obtener la autorización del fotógrafo, a menos que estén libres de derechos. En este caso, se indicaría. Tampoco puedes publicar, en virtud del derecho a la imagen, las fotos que has tomado y en las que aparecen una o varias personas reconocibles. Da igual si la imagen es favorecedora o no, no te corresponde a ti juzgarlo. Para publicarlas, deberías pedir el consentimiento de cada una de las personas que aparecen en ellas. Además, seguro que te gustaría que hiciesen lo mismo contigo. Una vez colgadas en las redes, las fotos circulan deprisa y no se sabe nunca cómo serán utilizadas. Ciertamente son pocos los que toman todas estas precauciones. ¡Pero cuanto más prudente se es, menos problemas se tienen!

Si a pesar de todo publicas una foto que no es del agrado de la persona fotografiada, esta puede pedir que la retires de tu muro de Facebook. Esto también te sirve si ves una foto tuya que no te gusta en el muro de otra persona.

¿Y si encuentro imágenes **ofensivas?**

Cuando te relacionas con adultos en las redes sociales, corres el riesgo de tropezar con contenidos inapropiados: imágenes violentas o pornográficas. Los riesgos aumentan mucho si entras en contacto con desconocidos: muchas cuentas (falsas) están dedicadas a la pornografía. Dicho esto, algunas imágenes provienen de jóvenes que, para llamar la atención, no dudan en filmar y compartir sus encuentros sexuales o las agresiones que presencian o de las que son cómplices.

Si encuentras imágenes ofensivas, abandona la página o el navegador de tu ordenador y habla de ello con tus padres o con un adulto de confianza. Las fotos y los vídeos pornográficos ofrecen una imagen de la sexualidad que no se corresponde con la realidad, y pueden ser muy perturbadores. Según la red, es posible bloquear o marcar la cuenta que ha publicado tales imágenes.

¿Los emoticonos
sirven solo para hacer bonito?

¡Por supuesto que no! Al principio se trataba de la combinación de ciertos caracteres tipográficos que, vistos de costado, formaban una carita sonriente (dos puntos para los ojos, un guion para la nariz, un paréntesis para la boca) o triste (según el paréntesis fuese abierto o cerrado).

Hoy día suele tratarse de imágenes fijas o animadas (GIF), como las caritas («smileys») o los corazones: estos emoticonos japoneses se llaman «emojis» ¡y hay para todos los gustos! Tú mismo puedes comprarlos si no encuentras el que buscas en la lista que te proponen gratuitamente en tu «smartphone».

Los emoticonos representan en la escritura el mismo papel que los gestos faciales y el tono de la voz en la expresión oral: indican el estado de ánimo del que escribe el mensaje y la emoción que quiere transmitir. Es particularmente pertinente cuando tu mensaje es irónico, porque de lo contrario podría ser malinterpretado.

Los japoneses se focalizan en los ojos, los occidentales en la boca. Ello se traduce también en los emoticonos. Aquí tienes
bocas occidentales:
:) :(:D :P
y **ojos japoneses:**
^_^ -_- >_< x_x

¿LO SABÍAS?

¿Si solo estoy yo en una foto es **un selfi?**

MIS MEJORES VIAJES

La torre Eiffel, 2011.   El Taj Mahal, 2013.   La estatua de la Libertad, 2015.

En el sentido estricto de la palabra, un selfi es un **autorretrato** que te haces con un «smartphone» y que publicas en las redes sociales. Permite que demuestres tu presencia en un lugar concreto o que expreses cómo te sientes en un momento dado. Pero si cuelgas una foto tuya junto a una estrella o con tus mejores amigos, ¡también puedes hablar de selfi!

Los selfis experimentan un inmenso éxito desde finales del año 2000. Hacen las delicias de Facebook (fotos de perfil), pero sobre todo de Instagram y de Snapchat. Existen poses (boca de pato o sacar la lengua), tendencias y un nombre (en inglés) para cada tipo de selfi: un selfi con tu perro (*dog*) es un «delphie»...

Para algunos expertos, el selfi es un acto extremadamente narcisista: de alguien a quien le gusta demasiado su propia imagen. Al mismo tiempo, en un selfi, no te tomas demasiado en serio: te fotografías cuando te levantas o estás haciendo una mueca. ¡Sin pensar, no obstante, que esta imagen podría jugarte una mala pasada algún día!

¿Puedo **contactar** con **famosos?**

Sí. Es muy fácil suscribirse a las cuentas de Twitter o Instagram de tus estrellas o famosos preferidos, así como sumarte a su «Fan Page» ('Página de seguidores') de Facebook. ¡Ahora bien, no esperes que a su vez te sigan o que respondan a tus «posts»! Aunque ellos quisieran, ¿de dónde sacarían el tiempo, con sus decenas de millones de seguidores o de fans? Suelen tener un «community manager» que gestiona su imagen en las redes sociales y que publica los «posts» en su lugar. Pero cuando un famoso escribe él mismo sus tuits, como la cantante Katy Perry, tiene mucho más éxito en las redes.

Para los famosos, las redes sociales son un medio fantástico de dirigirse directamente a sus fans: les informan de su actualidad (futuros conciertos, álbumes en preparación, dedicatorias...) o se autocomplacen compartiendo las críticas elogiosas. Algunos no tienen secretos para sus seguidores, y les hacen entrar incluso en su cocina... o en su dormitorio a través de las fotos o los vídeos que cuelgan en Instagram.

¡Tuits que valen oro!
Con millones de fans en las redes sociales, los famosos interesan a las marcas. ¡Así, al futbolista Cristiano Ronaldo le habrían pagado 230.000 euros por un tuit en el que alababa las virtudes de un perfume!

¿LO SABÍAS?

Los campeones de las redes sociales:
- Facebook: Ronaldo, Shakira, Rihanna (más de 100 millones de fans).
- Twitter: Katy Perry (alrededor de 76 millones de seguidores).
- Instagram: Taylor Swift y Kim Kardashian (unos 50 millones de seguidores).
- YouTube: el jugador PewDiePie (12 millones de seguidores).

Cristiana Kardana,

¡La futbolista cantante!

¡350 millones de seguidores en Facebook!

123☞ ¡Justin Bieber tiene 73 millones de «beliebers» (así es como se autodenominan sus seguidores) en Facebook, 40 millones en Instagram y 60 millones en Twitter!

¿Qué se hace en Facebook?

Facebook es una red social que permite a sus usuarios publicar contenidos (textos, fotos, vídeos...) e intercambiar mensajes. Cuando te hayas registrado, entras en la página de inicio donde aparecen los diferentes «estados» de tus «amigos».

¿Los estados? Sí, la palabra puede extrañar: se trata de las fotos o de los mensajes que los miembros de tu red han publicado. El conjunto forma lo que se llama el **«hilo de actualidad»**. En la parte superior de la página figura el estado más reciente. Puedes poner «me gusta», comentar o compartir todos los estados. Si clicas en uno de ellos, accedes al diario de esa persona, siempre que estés autorizado a leerlo. Y es que según seas amigo o no, accederás a distintas informaciones (ello depende de cómo esté configurada la cuenta). El diario también se llama **«muro»**, porque puedes escribir en él.

> Para crear una cuenta, es preciso tener más de 13 años y una dirección de correo electrónico.

Alertas
Cuando alguien hace algo relacionado con tu perfil (escribir en tu muro, etiquetarte en una foto en la que apareces, comentar un «post») se te avisa con un mensaje.

¿LO SABÍAS?

¿Y sobre tu muro? Puedes publicar (postear) un mensaje, una foto o un vídeo, compartir un enlace (artículo, foto, vídeo...) y elegir si lo haces accesible a todo el mundo, a tus amigos o solo a algunos grupos de amigos.

En Facebook también tienes la posibilidad de enviar un mensaje privado o de hablar con los amigos que están conectados al mismo tiempo que tú. Asimismo, puedes invitar a personas a acontecimientos y recibir invitaciones, participar en grupos de debate, jugar a juegos o también crear una «Fan Page»...

INFO +

Facebook resumido:
• Creado por Mark Zuckerberg en 2004.
• 1.500 millones de usuarios activos mensuales en el mundo.
• 968 millones de usuarios diarios (en junio de 2015).

¿Es fácil
hacer amigos en Facebook?

¡No hay nada más fácil!

Una vez creada tu cuenta, empieza por buscar a tus mejores amigos usando el motor de búsqueda. Para encontrarlos es preciso, por supuesto, que estén en Facebook y que no utilicen un seudónimo. Cuando hayan aceptado tu invitación, Facebook publica los perfiles de otras personas susceptibles de convertirse en tus amigos. Basta con clicar encima para enviarles una invitación. Del mismo modo, puedes recibir invitaciones y aceptarlas o no. Facebook suele ser la prolongación de tu agenda de direcciones real: te permite estar relacionado con tu familia, tus amigos, tus compañeros de vacaciones...

Solo acepta como amigos a las personas que conozcas y aprecies. Es la mejor forma de evitar problemas: malos encuentros, uso malintencionado de tus estados... Y si te das cuenta de que tienes demasiados amigos en Facebook, no dudes en suprimir algunos. Tampoco lo sabrán: desaparecerán de tu lista de amigos y tú de la suya.

El zorro quiere añadirte a su lista de amigos.

¿Confirmar?

Sí - No

El número medio de amigos en Facebook es de 130.

Cuando aceptes como amigo a alguien que no conozcas, piensa en que accede exactamente a las mismas informaciones que tu mejor amigo. ¿Crees que esto sucedería en la vida real? ¡Por supuesto que no! Hay una forma de distinguir entre estos distintos grados de amistad, y es creando **listas de amigos**. Facebook, además, propone distinguir entre **«amigos cercanos»** y simples **«conocidos»**. Ello te permite, sobre todo cuando publicas un estado, que puedas elegir a los amigos cercanos si las informaciones que das son demasiado personales para que sean leídas por todos los «amigos».

Carrera de amigos

A veces, en las redes sociales se compite por ver quién tiene más amigos: 300, 500, 1.000. Se cree que cuantos más amigos tengas, más popular serás. ¿Pero qué tiene de halagador ser amigo de alguien que tiene tantos amigos? ¡Lo que cuenta en la amistad es la calidad de las relaciones y no la cantidad!

¿LO SABÍAS?

¿Para qué sirve clicar en «me gusta»?

¡Para complacerse complaciendo a los demás, sin duda!

Es agradable decir que te gusta algo o animar a alguien. Y además no cuesta nada, basta con hacer clic en «me gusta». Ahora bien, ¿le ponemos mucho sentimiento al hacerlo? ¡Seguramente no! Tendemos a darle un «me gusta» a todo, sea lo que sea: publicaciones tan distintas como una foto de perfil graciosa, la cubierta de un libro que acaba de publicarse o el apoyo a una gran causa. Tampoco hay matices: no nos puede gustar un poco, mucho o apasionadamente. Así pues, todos nuestros «me gusta» se contabilizan sin distinción y se asocian a una publicación o a una cuenta. ¡Por supuesto, cuantos más «me gusta», mayor popularidad!

Si recibes «me gusta» también es agradable. Todo el mundo quiere ser apreciado, reconocido. Y particularmente los adolescentes, que están en plena construcción de su personalidad. Para ser popular, te lanzas a la carrera de los «me gusta», utilizas una estrategia de publicación para proyectar la imagen de alguien guapo, divertido, talentoso. Y forzosamente te comparas con otros y te planteas preguntas: ¿por qué yo recibo menos «me gusta»? Ello te pone celoso, te entristece. ¡O también, cuando se trata de un selfi, te preocupas; cambias de peinado o te pones a régimen! Es fácil de decir, pero es preferible no engancharse demasiado a los «me gusta».

La cantidad de «me gusta» no representa el valor de la persona.

En mi hilo de conversación de Facebook hay una publicidad de una marca de vaqueros. ¿Cómo saben que quiero comprarme unos?

Para «ofrecer» a los internautas un servicio gratuito, las redes sociales necesitan el **dinero de la publicidad**. Esta es mucho más eficaz cuando está dirigida, es decir, cuando se destina a alguien que tiene posibilidades de estar interesado en ella.

Al registrarte en Facebook, introduces cierta cantidad de datos. Algunos son obligatorios y otros optativos, como tus intereses, tus gustos... Si una marca de vaqueros quiere anunciar su nueva colección entre jóvenes de 13 a 17 años que son fans del «hip-hop», pagará a Facebook para recuperar los contactos correspondientes al perfil deseado y promocionar su campaña en el «hilo de conversación» de estos internautas.

¡Y eso no es todo! En Facebook, los usuarios comparten automáticamente cierto número de informaciones con sus amigos. Esto es válido también para la publicidad. Si un usuario da un «me gusta» a una determinada publicidad, sus amigos se enterarán de su interés por el producto ¡y esto beneficia aún más a la marca!

Incluso si no has clicado «me gusta» en el anuncio de los vaqueros, una publicidad también podría publicarse en tu hilo de conversación de Facebook por pocas veces que hayas visitado el sitio de la marca. ¿Cómo pueden saberlo? **¡Gracias a las «cookies»!** Cuando visitas un sitio, el navegador guarda en tu ordenador o en tu «smartphone» una «cookie»: un pequeño fichero en el que se registran informaciones sobre ti.

Para algunos sitios, las «cookies» son útiles. Gracias a ellas, cada vez que vuelvas a un sitio, este te «reconocerá»: por ejemplo, guardará en la memoria tu cesta de la compra o te hará sugerencias en función de tu último pedido.

¡Te lo aseguro, no entiendo de dónde vienen todas estas publicidades de Bibú, el pequeño poni rosa!

¿Y es legal?

Según la ley, cuando te conectas a un sitio por primera vez, debe aparecer un mensaje para proponerte si aceptas o rechazas la «cookie» e indicarte para qué sirve.

¿LO SABÍAS?

¿Cómo funciona **Twitter?**

Twitter es una **herramienta de microblogging**. Te permite enviar gratuitamente mensajes cortos llamados «tuits» (140 caracteres como máximo) por Internet. Una vez que te has registrado en Twitter, vas a la página de inicio en la que aparecen los tuits de las cuentas (amigos, blogueros, famosos...) a las que te has suscrito. Es el **hilo de actualidad**. El hilo solo avanza si actualizas la página en tu navegador.

Así pues, para recibir tuits de otros usuarios, primero debes suscribirte a ellos. Twitter te hace sugerencias en función de tus intereses. Para seguir una de esas cuentas, basta con clicar en el botón «seguir». Puedes dejar de seguirla en cualquier momento. Y para tener tú mismo seguidores, debes empezar a tuitear.

INFO +

Twitter resumido:
- Creado en 2006.
- 316 millones de usuarios activos mensuales.
- 500 millones de tuits enviados diariamente en el mundo (junio 2015).
- La cuenta de la cantante Katy Perry tiene 76 millones de seguidores.

En Twitter tuiteas, pero sobre todo **retuiteas**: compartes los tuits interesantes con tus seguidores, que pueden a su vez retuitear, y así continuamente. Por defecto, las cuentas de Twitter son públicas, lo que significa que un tuit puede ser reproducido en los medios de comunicación o ser utilizado por la justicia. Pero modificando la configuración de tu cuenta, tienes la posibilidad de hacerla privada. Así, los tuits estarán protegidos: solo tus seguidores podrán leerlos.

Crear un perfil en Twitter
Cuando creas una cuenta, tienes que elegir un nombre, a poder ser corto (¡entra en el recuento de caracteres!), y una imagen para tu perfil. Sin imagen, no suelen seguirte. Pero no tiene que ser obligatoriamente una foto tuya: por ejemplo, puede ser un avatar.
Tu presentación no debe sobrepasar los 160 caracteres.

¿LO SABÍAS?

¿Cómo puedo escribir un tuit?

Basta con que en la página de inicio cliques sobre el icono en forma de «pluma» y coloques el cursor en la ventana desplegable «¿qué está pasando?».

Sobre todo, nada de parrafadas en Twitter, ¡se tuitea con **140 caracteres como máximo**! Un carácter es una letra, un signo de puntuación o un espacio. Dada la limitada extensión de un tuit, se puede añadir un vínculo a un artículo o a un vídeo en Internet. Pero el vínculo cuenta en los 140 caracteres. ¡Por suerte, Twitter acorta automáticamente las direcciones web! También se puede incluir una foto. Una vez escrito el mensaje, clica en el botón «tuitear» para publicarlo.

Para convertirte en un verdadero tuitero, también es preciso dominar la sintaxis: @Bidule indica que solamente envío el tuit a Bidule, o que lo reenvío a la cuenta de Bidule gracias a que me he enterado de la información.

En inglés, tuit significa piar. En Twitter, se pía, o tuitea como el pájaro azul que sirve de logo a la red social.

RT@Bidule indica que retuiteo a Bidule. Dicho de otra forma, que envío a mis seguidores un tuit que he recibido de Bidule.

El símbolo de la almohadilla (#) se llama «hashtag». Introduce una palabra, clicable, que indica el o los temas del tuit.

¿Qué se hace en Instagram?

Instagram es un **servicio para compartir fotos** –y vídeos desde 2013–, disponible en móviles. El nombre sería un acrónimo formado por las palabras en inglés «instant» y «telegram»: fotos que haces y envías al momento.

Después de registrarte en Instagram, entras en la página de inicio donde aparecen las fotos y los vídeos de los usuarios a los que te has suscrito: amigos, blogueros, famosos... Puedes darles un «me gusta» o comentar sus fotos. También puedes compartir tus fotos y vídeos con tus seguidores. Para publicar una foto en Instagram, primero la efectúas mediante la aplicación, o bien la cargas a partir de tu «smartphone».

> Instagram invita a la práctica de la «iPhoneografía»: la fotografía con un teléfono móvil.

Después, tienes la posibilidad de modificar su aspecto añadiéndole filtros (blanco y negro, sepia...). Es lo que ha contribuido, entre otras cosas, al éxito de Instagram.

INFO +

Instagram resumido:
- Creado en 2010 y comprado por Facebook en 2012.
- 400 millones de usuarios activos mensuales en el mundo (septiembre de 2015).
- 50 millones de seguidores de la cuenta de la cantante Taylor Swift.

¿Cómo funciona Pinterest?

Pinterest es una red social que permite a sus usuarios compartir sus centros de interés **creando álbumes a partir de fotos publicadas** en Internet. El nombre es un acrónimo formado por las palabras inglesas «pin» ('clavar con alfileres') e «interest» ('interés'). Después de registrarte en Pinterest, entras en la página de inicio donde aparece una selección de pines ('imágenes colgadas'). El contenido de esta página depende del seguimiento que hagas (temas o usuarios). Un menú te permite acceder a ciertos temas (humor, animales...), así como a los tableros más populares de la red. Puedes ampliar las fotos, marcarlas con un «me gusta» o compartir aquellas que te agradan y visitar el sitio de donde han sacado la foto. Pinear imágenes es bastante simple. Cuando hayas seleccionado una, solo tienes que guardarla en una categoría (un tablero) y añadir un texto. Si lo deseas, puedes crear un «tablero secreto»...

Para pinear fácilmente imágenes en Internet, lo mejor es instalar el botón «pin it» en el navegador de tu «smartphone» o de tu ordenador.

INFO+

Pinterest resumido:
• Creado en 2010.
• 100 millones de usuarios activos mensuales en el mundo.

¿Qué se hace en **Snapchat?**

Snapchat es una aplicación para **compartir fotos y vídeos** disponible en móviles. Permite enviar mensajes con imágenes y vídeos que se borran automáticamente al cabo de 1 a 10 segundos (la duración la elige el usuario). Es posible aplicar filtros de color y sobre todo dibujar sobre las fotos, especialmente sobre las selfis: ¡en Snapchat nadie se toma demasiado en serio!
Snapchat permite igualmente a los usuarios **crear una «story»**: una yuxtaposición de varias fotos o vídeos que forman una historia. Una «story» puede ser vista tantas veces como el usuario desee, pero cada elemento que la compone tiene una duración de 24 horas. ¡Cuidado con publicar la foto que sea bajo pretexto de que se borrará! ¡En realidad, cualquiera puede tomar una captura de pantalla!

El logo es un pequeño fantasma que evoca las imágenes fantasmas de la aplicación.

INFO +

Snapchat resumido:
• Creado en 2011.
• 200 millones de usuarios activos mensuales.
• 350 millones de «snaps» intercambiados cada día en el mundo.

¿Cómo funciona YouTube?

YouTube es un **sitio web para compartir vídeos**. Como sin duda sabes, todos los internautas pueden ver los vídeos del sitio; en contrapartida, para publicar un comentario o calificar los vídeos es preciso tener una cuenta de Google+.

Los vídeos son accesibles por categorías (música, juegos, películas...) o con la ayuda de palabras clave (*chat*, *fútbol*...). Cuando reproduces un vídeo, se te proponen otros relacionados con el que estás viendo en una barra de desplazamiento. En cada uno se incluye un contador de visitas, y de «me gusta» y «no me gusta».

Si te registras, también te puedes suscribir a canales de YouTube y estar así al corriente de la publicación de nuevos vídeos. Nueve de los diez vídeos más vistos en YouTube son clips musicales. También son muy populares en YouTube los canales de «gamers» dedicados a los videojuegos, y los canales humorísticos.

INFO +

YouTube resumido:
- Creado en 2005.
- Comprado por Google en 2006.
- Mil millones de usuarios.

YouTube gana mucho dinero gracias a la publicidad insertada antes de los vídeos. Una parte, correspondiente al porcentaje calculado a partir del número de reproducciones, se transfiere al «youtuber». Algunos se ganan muy bien la vida, pero es mucho menos de lo que cobran sus colegas anglosajones, ¡puesto que la lengua inglesa llega a muchos más internautas!

Si quieres, también puedes publicar vídeos en línea; pero, para ello, tienes que crear tu canal de YouTube. Cuidado, porque es obligatorio que los contenidos te pertenezcan o tengas derechos sobre la música que usas, por ejemplo. Si no es así, te arriesgas a que te retiren el vídeo de YouTube.

INFO +

El vídeo más visto en YouTube: *Gangnam Style*, del cantante surcoreano Psy. Publicado en julio de 2012, es el primero que ha superado los mil millones de visitas. También es el que cuenta con el mayor número de «me gusta».

¡Trampolín!

Como el éxito atrae al éxito, los famosos de YouTube encuentran a sus fans en «meet-ups», pasan del vídeo a la escena, o se les abren las puertas de las editoriales y se convierten en figuras mediáticas, dependiendo del país y del alcance de su fama.

¿LO SABÍAS?